曹文轩 陈先云

主编

SACR ✓ S0-BKP-974

828 "I" STREET

SACRAMENTO, CA 95814

09/2021

快乐读书吧·名著阅读课程化丛书

二年级／上册

一只想飞的猫

陈伯吹 著

人民教育出版社

·北京·

本书所涉部分文字作品著作权由中国文字著作权协会代理。

电话：010-65978917，传真：010-65978926，E-mail：wenzhuxie@126.com

"快乐读书吧·名著阅读课程化丛书"专家指导委员会

主　任	黄　强	郭　戈			本册编者	（以姓氏笔画为序）
主　编	曹文轩	陈先云				冯　颖　刘　芬　刘　余　孙世梅
委　员	（以姓氏笔画为序）					李之彤　邹春红　张立霞　张漫漫

主　任　黄　强　郭　戈
主　编　曹文轩　陈先云
委　员　（以姓氏笔画为序）

马　兰　旦增措姆　冯　颖　向　瑞　刘晓军
许文婕　孙世梅　孙雁秋　李　琦　李学红
杨　华　杨　祎　杨　翠　杨建国　杨修宝
吴亚西　何　源　何致文　余　琴　张　沛
张　琳　张立军　张立霞　张咏梅　张漫漫
陆　云　陈先云　林孝杰　郑　丹　郑　宇
柯孔标　柳美彤　哈　薇　袁克丽　徐　轶
郭乐静　黄国才　曹　媛　常志丹　崔凤琦
熊宁宁　滕春友　薛　峰　魏　航

本册编者　（以姓氏笔画为序）
冯　颖　刘　芬　刘　余　孙世梅
李之彤　邹春红　张立霞　张漫漫
郑　宇　郝婧坤　魏　航
责任编辑　冯　颖
美术编辑　李宏庆
书籍设计　壹原视觉
插　图　陈　曼

图书在版编目（CIP）数据

快乐读书吧·名著阅读课程化丛书. 一只想飞的猫：二年级. 上册/曹文轩，陈先云主编. —2版. —北京：人民教育出版社，2019.8（2021.4 重印）
ISBN 978-7-107-33597-6

Ⅰ.①快…　Ⅱ.①曹…　②陈…　Ⅲ.①阅读课—小学—课外读物　Ⅳ.①G624.233

中国版本图书馆 CIP 数据核字（2019）第 169565 号

快乐读书吧·名著阅读课程化丛书　一只想飞的猫　二年级　上册

出版发行　人民教育出版社
（北京市海淀区中关村南大街 17 号院 1 号楼　邮编：100081）
网　　址　http://www.pep.com.cn
经　　销　全国新华书店
印　　刷　唐山市润丰印务有限公司
版　　次　2019 年 8 月第 2 版
印　　次　2021 年 4 月第 14 次印刷
开　　本　787 毫米 × 1092 毫米　1/16
印　　张　7.25
字　　数　145 千字
定　　价　16.00 元

版权所有·未经许可不得采用任何方式擅自复制或使用本产品任何部分·违者必究
如发现内容质量问题、印装质量问题，请与本社联系。电话：400-810-5788

目录

时间老人匆忙地在我面前过，不断地送来了童话的幻想性，浪漫感，惹动了我的模仿心，何况作为一个大孩子，我"常常想到星月以上的境界，想到地面以下的情况，想到花卉的用处，想到昆虫的言语……"自然而然地心驰在幻想世界，而手中的笔杆则习作童话了。

——陈伯吹

一只
想飞的猫

阅读指导

　　看到题目，你大概能猜到，故事里有一只想要像鸟一样飞的猫。

　　这个故事很长，你可以分几天读完。先给自己制订一个阅读计划，然后按照计划开始快乐地阅读吧！

页码	我完成啦	我知道了
3-16	月　日开始 月　日完成	因为谁，猫第一次有了想飞的念头？
17-39	月　日开始 月　日完成	是谁让猫没法再装睡？
40-74	月　日开始 月　日完成	这只猫飞起来了吗？

——豁啦！

一只猫从窗子里面猛地跳出来，把窗台上摆着的一个蓝瓷花盆碰落在台阶上，摔成两半。

才浇过水的仙人掌，跟着砸碎的瓷花盆被抛出来，横倒在地上，淌着眼泪，发出一丝微弱的声音："可惜！"

"那算得了什么，我是猫！"猫没道一声歉，连头也不回一下，弓起了背，竖起了尾巴，慢腾腾地迈开大步，若无其事地向前走。"昨天夜里，

我一伸爪子就逮住了十三个耗子！"

"嘎"，猫忽然停住了脚步，耳朵高高地竖起来，动了两下，就撒开四条腿飞奔过去。

两只蝴蝶，正在凤仙花的头顶上来回地跳舞。

凤仙花仰起了红通通的笑脸，尽力发出香气。

她们亲亲热热地接吻，一下，一下，又一下。

猫突如其来地飞奔到蝴蝶身旁，张牙舞爪。

蝴蝶们大吃一惊，连忙腾起身来，像两个断了线的风筝，倏地飞远了。

"倒霉，扑了一个空！她们比

耗子还聪明！"可是猫没有放过她们，只待了一秒钟，就跃起身子追赶过去。

两只蝴蝶在空中交头接耳，商量些什么。

黄蝴蝶一歪一斜地，很像从白杨树上掉下来的一片黄叶子，飞得又慢又低，落在后面。

"哈，她累了！"猫直奔过去，伸出脚掌一抓，差了半尺。

黄蝴蝶飞走了。

现在是白蝴蝶飞得又慢又低，落在后面。

"这回可差不离了！"猫奔过去，用力蹦起来，又伸出脚掌一抓，只差一寸，白蝴蝶飞走了。

“呼——嘘——”猫头上渗出了汗。他自己安慰自己，“险些到了手！逃不掉的！”

这时候，黄蝴蝶又在他前面不远的地方，摇摇晃晃地飞着，仿佛要降落到地面上的样子。

“可恶，她逗我呢！”猫原来是捉着玩的，现在却恼火起来，“她想欺负我吗？好，有她好看的！”

猫弓起身子，收敛爪子，用他脚趾上的肉垫，沿着一行冬青树，轻身轻脚地走，让这些绿叶子掩护他，缓缓地、悄悄地跑过去。

“他打埋伏呢！”黄蝴蝶笑了，可是没笑出声来。

猫眼看着愈挨愈近，不到两尺光

景，一纵身扑上去，"成了！"

不，还差几分。猫的话说得太早啦！

黄蝴蝶得意地飞走了。

猫望着黄蝴蝶，她在马缨花树的枝旁绕了两圈，才直向空中飞去。他叹了口气："她太机警了！不过如果我也能够飞……"

他烦恼得很。

白蝴蝶仿佛也飞累了，像一朵小白花，落在一片映山红的上面。

猫抹了一下脸。"我眼睛没花吗？难道不就是那个小丫头！好，你也来逗我！"

他蹲了下来，一动也不动，眼睁睁地盯着白蝴蝶，暗地里在估量距

离，观察周围，要挑一个最好的时机，像一支箭一样射过去，射中她。

一，二，三！飞！

猫自以为在飞，腾起身扑过去，一下子抓住了。他正抬起头来得意的时候，怎么，白蝴蝶却从他头顶上翩翩飞过，越飞越高，和黄蝴蝶飞在一块儿了。

他气得发抖，呆呆地望着她们，不自然地松开脚爪，被抓下来的一束映山红，零零落落地从他爪子里掉出来。

这一对美丽的蝴蝶，像亲姐妹那样肩并肩地飞着。她们把这只自以为了不起的猫戏弄得够了，就在一簇青松翠柏后面，绕了一个大弯儿，向西边飞去，到湖中心和水莲花谈天说地去了。

"我不放过她们——我发誓，一个也不放过！"猫像疯子一样，不好好地走正路，却横着从花圃中窜过去，撞到向日葵身上，撞到鸡冠花身上……

向日葵正安静地站着，望着明亮的太阳。"这早晨的空气多么好，这世界多么美，这太阳多么亮，照得多么暖，我得把'红领巾'向我提出的'增产计划'仔细想一想——哎哟！"她冷不防给猫猛撞了一下，撞得她那高个子东倒西歪，几乎站不稳脚。她那大大的脑袋也晃来晃去，晃得头昏脑涨。

“咦，下毛毛雨了？”站在向日葵脚旁的一棵小草儿低声说。

“不是的。两滴眼泪！”另外一棵小草儿也低声说。

上了年纪的老头儿黄杨插嘴了："你们说的都不是。两滴油！"

“明明是向日葵姑娘的眼泪，怎么说是油？”这棵小草儿不服气，争论起来。

“也难怪，你们年纪小，见识少，还不知道她是一个‘油料作物姑娘’！”老头儿黄杨说完话，驼着背，铁青了脸，闭紧嘴，再也不愿意多说一句了。

可是两棵小草儿还不肯停嘴，他们总喜欢多知道世界上的一些东西，喜欢把事情问得一清二楚，喜欢喊喊喳喳地多说几句。

"啊啊，'油料作物姑娘'——这个名字多古怪！一连串的字长得多难念！"

"哦哦，这个名字倒新鲜，只可惜不知道它是什么意思！"

鸡冠花也被撞伤了腰，气得满脸通红，她愤怒地喊着："这个淘气的小家伙，走路横冲直撞，不遵守交通规则！"

"我是猫！我一伸爪子就逮住了十三个耗子！你算得什么，你是公鸡？像吗？冒牌东西！"猫一边乱奔乱窜，一边回过头来狠狠地回嘴。他做错了事，从来不肯认账。

葡萄兄弟们吓得发抖，有的脸色发青，有的脸色发紫。"幸亏咱们爬上了架子。这个野孩子多么可怕呀！"

等猫闯出这个花圃，两只蝴蝶已经飞得不知去向了。

猫睁圆了眼睛，喘着气，望着天空。

天空蓝蓝的，连一片白云也没有。

"要是我能够飞……"他失望又懊恼，垂头丧气地走过银杏树旁。在平时照例要停一下，溜达一下，在树干上抓几下，磨一磨爪子，现在他什么也懒得干了。

喜鹊的家就在这棵银杏树顶上。

她清早起来，把家里打扫干净，收拾整齐，就出去打食，肚子饱了回

来，休息一会儿，马上打开那本厚厚的《建筑学》，认真地学习。她能在飞禽国里成为有名的建筑师，不是没有道理的。

从花圃里传来的吵闹声，惊动了她。她抬起头来一望，猫正踩在一棵美人蕉的身上跳出来。她认得他，这个村子里最坏的一只猫。

"大概又在闹事了吧？"喜鹊想，"唉，他这样胡闹下去，总有一天会摔个大跟头的。"

她看见猫没精打采地踱过来，想飞下去劝告他一番。可是猫不愿意让她看见自己不得意的样子，加快脚步，从银杏树底下溜过去了。

猫一直走到湖旁边。

沿着湖岸，长着一丛又高又密的芦苇，像一座耸起的绿屏风，把镜子一般的湖面遮住了。猫没看见鸭子正在湖里头洗澡。四周静悄悄的，他觉得很无聊，而且有点儿疲倦，"在这儿瞌睡一下再说吧。"

在老柳树斜对面的槐树荫下，猫睡着了。

他先把《呼噜呼噜经》念了一会儿，随后做起梦来：

在一片碧绿的草地上，他追赶着一只漂亮的红蝴蝶，一直追到了紫藤架下，他就飞起来捉住了她。"啊呜"一口，干脆把她吞下去了。"哼！这就叫作'老虎吃蝴蝶'！谁叫你的两个姐妹捉弄我？——我是

猫！猫大王！我一伸爪子就逮住了十三个耗子！"

在梦里，猫舔嘴咂舌，仿佛真的吃到了一只蝴蝶。

秋风带着一点儿凉意，吹过来。怕冷的芦苇直哆嗦，瑟瑟地响。

猫糊里糊涂地以为一群耗子出洞了，叽里咕噜地说着梦话："喂，你们这些尖嘴的下流东西，别闹了，我不来难为你们。嘿，我困呢，我要睡觉，我懒得管你们！"

他把身体蜷缩得紧一点儿，睡得真香啊！

槐树低下头来，看见猫睡得烂熟，禁不住心头火起来，"这个毛孩子，多不争气，白天睡懒觉！我的影子歪在西边，还没到午睡时间哩。"

他一生气，用一根枝条儿打在他头上。

猫霍地坐了起来，两只脚掌使劲地擦着眼睛，嘴里又叽里咕噜地说："可恶！谁把皮球扔在了我头上？"

但是等到他清醒了，睁开眼睛一看，什么也没有，四周仍旧静悄悄的。

"噢，恐怕我是在做梦吧。"他想起他曾经飞起来吃到一只世界上罕见的漂亮的红蝴蝶。"嗨嗨！不管这件事情是真是假，总是值得骄傲的吧。"

他拉开嗓门儿，不成腔调地自拉自唱。

"呱呱叫，呱呱叫，

我是一只猫，

天下最好的猫！

叮叮当，叮叮当，

耗子见我不敢抬头望，

老虎见我称声'猫大王'！

叽叽喳，叽叽喳，

…………"

"嘎嘎！嘎嘎！"鸭子讲卫生，爱清洁，洗了个冷水澡，浑身舒畅，一边大声地笑，一边摇摇摆摆地跑上岸来。她听到猫唱的歌，想称赞他"歌曲的调子不错"，可是还想向他提个意见："这歌词未免自高自大。"

猫一向瞧不起鸭子，尽管鸭子笑嘻嘻地走过来，他却板起了面孔，翘

起了胡子，像站在皇帝身边的凶恶的武将，一开口就没好话。"扁嘴！你从哪儿来？上哪儿去？"

"放规矩些。不许你随便叫我扁嘴。"

"那么，我就叫你'圆嘴'。"

"不管扁嘴也好，圆嘴也好，叫绰号总是不好的。你可看见谁对待朋友这样没礼貌的？好吧，我们不谈这些。我刚才听见你唱了个歌，调子不错，可是歌词……"

猫拦住了鸭子的话，说："你爱听歌！"

"我爱听。不过……"鸭子的话没说完。

猫又插嘴了："我为你再唱一个，

你想听不想听？"

"谢谢你！我用心听。"

猫又拉开了嗓门儿。

"叽叽喳，叽叽喳，

那边来了一个啥？

原来是只扁嘴鸭！"

"喏，你又来了！"鸭子很不高
兴，"你就像村子里的那个二流子，
成天吃吃、玩玩、调皮、捣蛋……"

"嘻嘻！嘻嘻！"猫冷笑着，眨
巴眨巴眼睛，满脸狡猾的神气。

鸭子接下去说："好吧，我们不
谈这些。有一件重要的事情要通知
你，咱们村庄明天大扫除，你也要来
参加。别迟到！"

"哎呀！哎呀！"猫捧着头喊

起来。

"什么事？"

"头痛！"猫半真半假地说，"讨厌的'大扫除'，我一听到这三个字就头痛！"

"哦，你不爱劳动！你不愿意干活！"

猫装作没听见，抬起了头，望望槐树，望望芦苇，望望老柳树。隔了好一会儿，才低下头来，闭上一只眼睛，睁开一只眼睛，爱理不理地、冷冰冰地说："你们爱劳动你们去劳动。我不干！"

鸭子觉得很奇怪。"怎么，你不愿意把大家住的地方弄得干干净净，插上红旗？多有意思！就说你自己吧，家里头一团糟，也得打扫打扫。那天我在你家门前……"

"你管不着！"猫抹了一下胡子。

鸭子也有点儿生气了，她是难得激动成这个样子："你，你也应该知道，公共的事情大家干，朋友的事情帮着干。"

"你是女教师？猪八戒照镜子自己看看，像吗？"猫毫不讲理地说。

鸭子没话说，转过身去想走了。

猫的眼珠滴溜溜地直打转，不怀好意地盯着鸭子。"喂，你别走，我们再谈谈。"

"你既然不肯参加大扫除，和你多说也白搭——浪费时间！"鸭子真的要走了。

“咦，你瞧，谁来了？”猫的眼力真好，他一抬头就望见老远地方有两个黑影儿正在向这边移动。

鸭子忽然想起来了，“哎哟！真的耽搁得太久了，他们上这儿来找我啦！”

“他们是谁？”

“还不是鹅大姐和鸡大哥吗？”

“哦——”猫从鼻孔里哼了一声。他觉得十分扫兴，原来开鸭子玩笑的打算，像膨胀的肥皂泡，“噗”的一声破了。

现在看得清楚了，两个黑影儿越来越大。一个脖子长的，一个冠子高的。

“再见！”鸭子还是很有礼貌地

28

一躬身子，走了。

猫闭上了眼睛，也不抬一抬身子。

鸭子一摇一摆地迎上前去。她很爱朋友，是一个热心、爽直、快活的老实人。

"嘎嘎！"她老远地就和他们打起招呼来，"很对不起呀！我没早一点儿回来。我洗了一个澡，上岸来遇见猫兄弟，和他说话说久了。猫兄弟还在这儿呢。"

"去你的，谁是你的兄弟！"猫嚼了一口草，又把它吐了出去。

鸭子耳朵不很灵，只顾迎接朋友，没听见。

鹅拖着肥胖的身子，一边向前

走，一边提高了嘶哑的嗓子回答着："不忙，不忙。鸡小妹昨天在苹果园里捉虫子，淋了雨，感冒了。今儿身上发烧，躺着起不来。所以咱们得把大扫除的日子推迟一下，特地来和你商量商量。你可有什么意见？"

鸭子一听到鸡小妹病了，心里头就着急，话都说不顺溜了。

"嘎——嘎——"

"看过大夫了，病倒不怎么厉害，只是要休息一个星期。"公鸡的嗓子真响亮。不错，他是一个杰出的歌唱家。

猫老远地蹲在后面，也听得清清楚楚。可是他不佩服他，因为公鸡嗓子虽然好，唱的总是"喔喔啼"的老调。他不喜欢。他自以为比公鸡强得多。

这时候，他们三个已经走在一块儿了，那么亲热，有说有笑地走回村庄去了。

猫独个儿蹲在槐树底下，觉得寂寞起来，却又不愿意跟上去，只是不停地眨着眼睛，眼巴巴地望着他们的背影。

忽然他们三个在银杏树下兜了个圈子，又走了回来。

猫心里头一高兴，马上精神起来，用心地听着他们讲些什么。

"我赞成把大扫除推迟半个月搞，好让鸡小妹多休养几天。做事情性急总不好！"这粗大的声音是

鸭子。

"你的话说得有理，我同意。"这嘶哑的声音是鹅。

"不过，如果下个星期日她仍旧起不来床，我主张甭等了，我干两份工作得了。"这清晰的声音是公鸡。

"不能让你多辛苦。咱们有福共享，有事同干！"鸭子真心地说，不觉眼圈儿红了，"啊，如果猫兄弟也来帮一手，那就再好也没有了。"

"所以说，我主张还是去劝劝他。"鹅昂起了头说，她的脖子多长啊，"要是他答应了，即使鸡小妹再多休息些日子，也没关系。"

"对，我们去好好地邀请他。"公鸡用嘴把自己的花衣服整理好。

“我们要客气些、耐心些说话。”鸭子叮嘱大家。她想轻声点儿说，可是她那粗大的声音仍旧给猫听得清清楚楚。

猫知道他们的来意，心灰了一半。他原想他们是来找他去玩的。

“我躺下来假装睡觉吧！”猫就是这样会耍花招。

“猫兄弟！”鹅、鸭子、公鸡一边跑过来，一边亲热地招呼猫。

“呼噜——呼噜——呼噜——”猫故意响起鼾声，《呼噜呼噜经》念得特别响。

“怎么，他一下子就睡着了？”鸭子眨着眼睛，迷惑起来。

鹅摇摇她的长脖子，默默地想了

一想，低下头来看了看猫。她不敢碰他，知道他脾气不好。

"让他打个很响很响的喷嚏——阿嚏！就会醒来的。"公鸡啄了根小草，想在猫鼻孔里撩几下。

"不好，不好，"鸭子急忙阻止他说，"这么一来，他准会生气的。如果谁这样对待我，我也会生气的。"

"那总得想个办法让他醒来。"鹅又昂起头来，伸长了脖子，默默地想，很像是个有思想的哲学家。

"办法还有一个，看你们赞成不赞成。"公鸡说着，挺直一只脚，提起一只脚，做出"金鸡独立"的威武姿势来，抖了抖他的花衣服。"猫兄弟搞错了，以为现在还在半夜里，所以睡得那么香。其实，树林中、果园里、农场上，到处照耀着阳光，时候已经不早，让我唱一曲‘喔喔啼’，保管他会醒来。”

“这个好。”鹅的长脖子点了两点。

“不过你得唱响一点儿，别让他的鼾声比你的歌声还响。”鸭子以为猫真的睡着了。

公鸡抬起头来，抖动了一下冠子，披在脖子上的长发也飘动起来，多雄壮的样子！他唱起来了：

“喔喔啼！喔喔啼！

该睡的时候要好好睡，

该起的时候要快快起。

太阳啊，他在招呼你！"

猫没有醒来。"呼噜——呼噜——"的鼾声反而更响了。

鸭子惊讶地低下头去，像个近视眼似的仔细看看猫，只见他的胸脯一起一伏地抽动着，眼睛闭得紧紧的。

鹅一动不动，还是昂起头来，伸长了脖子，默默地想。

公鸡再唱：

"喔喔啼！喔喔啼！

该起的时候还不起？

睡懒觉的家伙没人理。

太阳啊，他躲进乌云里！"

猫还是没有醒来。

鸭子睁大了眼睛，觉得事情太奇怪了。

鹅摆了摆身子，耐心的女哲学家也有点儿不耐烦了。

　　公鸡早看出猫在假装睡觉，现在他不客气了，抢前一步，把脖子伸到猫的耳朵旁边，像一个勇敢的号手用力吹起来：

　　"喔喔啼！喔喔啼！……"

　　猫一骨碌翻身跳起来，睁圆了两只眼睛，瞪着他们三个，摆出一副不友好的样子。

　　"猫兄弟，你早！"鸭子先开口。

　　"猫兄弟，你好！"鹅跟上去。

　　"猫兄弟，你起得早，身体好！"公鸡说俏皮话。

　　"不理你们这一套！"猫的气可生大了，"如果你们叫我去大扫除，先来比赛一下，谁胜了我，谁就能够命令我——要我扫干净整条长街，或者整个广场，我也干。"

鹅把头低下来，温和地问："赛什么？猫兄弟。"

"赛跑！"猫粗声粗气地回答。

鸭子着急地说："那可不行啊！你明明知道我们三个总共只有六条腿，你一个就有四条腿，当然赛不过你。"她忧愁起来了。

"那，你们就休想叫我去干什么活！"猫把头侧过去，不理睬他们，只是"哧哧"地冷笑着。

"大扫除，清洁卫生，这是为大家好，也为你好哇！"鸭子心直口快，老老实实地说。

"我不在乎这个。"猫边说，边抬起了头，眼睛望着天空，完全是一副瞧不起人的样子。

"这样岂不是不公平吗？"公鸡责备着猫。

猫回过头来，露出了牙齿。"你说说看，怎么不公平！"

公鸡没有被吓倒，跨一步，迎上前。"那么，大家出力出汗，把胡同、马路打扫得干干净净，你不劳动，好意思？"

"我没有叫你们干这种傻事！"

"依你说，就是成天吃吃、玩玩，什么活也不干，吹吹牛皮过日子，这才是聪明人干的事情？"

猫没话可说，但是显然发怒了，

"噗噗"地喷着鼻息，尾巴在后面甩了两甩，背脊弓了起来。

鸭子慌了，忙说："猫兄弟，我们是来邀请你的啊！"

"少说废话！谁要想让我拿起扫帚、抹布来，谁得先和我赛跑。"

"不过，"鹅还是心平气和地讲道理，"你是个赛跑健将，咱们差得太远了，请你不要提这样难度高的条件。"

猫的怒气平息了一半，因为有人在称赞他了。"可是，我，我不只是个赛跑健将啊！"

"不错，我知道你还是个跳高健将，能够从地球跳上月亮！"公鸡故意这么夸奖他。

"你以为我不过是个运动员？"

"不，不，"鸭子看出猫又快要生气了，急忙安慰他说，"你，你又是个旅行家。你常常跑到很远很远的山坳里去，跑到大海边去。"

"妙乎——"猫笑出来了。"但是你还不知道我也是个歌唱家呢。"

鸭子回头来望望公鸡，看见公鸡的脸色很难看，担心他们再一次吵嘴。

"不错，不错，猫兄弟是个男低音歌唱家，我们的鸡大哥是个男高音歌唱家。"

"那么，你是个什么呢？"猫刁难她一下。他觉得鸭子好对付，可以欺负她。

鸭子噘起了扁嘴，想了半天，才

说：“我嘛，我是个游泳家，或者可以说是个渔业家。我们的鹅大姐也是的。”

“你不知道？我也是的！”猫嬉皮笑脸地说。

鸭子给弄糊涂了，不停地眨巴着眼睛。她望望鹅大姐，心里头在想：难道猫也会在湖里打鱼不成，怎么从来没见过？

公鸡讨厌这个骄傲的家伙，再也不肯错过好机会，立刻插嘴说：“可不是，有一天我走过湖边，亲眼看见你在湖里打鱼，捉起一条大约有十斤重的大鲤鱼来，那鲤鱼的两条须儿可真长啊！你呀，真是一个天才的渔业家！”

"不，你看错了人，我没有在湖里打过鱼，"猫心虚了，他强辩着，"我只是在湖边钓过鱼。我还记得钓起了一条阔嘴巴、细鳞片的鲈鱼，还有一条三斤多重的鲫鱼，嗨嗨，鲫鱼的味道可鲜极啦！"

猫说完，咽了一口唾沫，喉咙里"咯嘟"一声响。

"请原谅，我的记忆力不好，把话说错了。"公鸡装作一本正经的模样，抱歉地说。他看看鹅，又看看鸭子，"今天我们邀请这位出色的渔业家，表演他的拿手好戏，给我们开开眼界吧。"

猫怔住了。他抽搐着鼻子，无可奈何地说："可——以——嘛。"

"那么，我们鼓掌欢迎！"

公鸡一带头，鹅和鸭子跟着，一齐拍着翅膀，把地上的灰尘扇起了一大片。

猫暗暗叫苦，但是话已经说了出去，怎么办呢？

公鸡先向湖边走去，鹅和鸭子跟在后面。猫只得和他们一块儿走。他们到了湖边，猫又只得蹲下来，把尾巴插入湖里，摆出钓鱼的架势来。其实，他很明白，这样做不顶事，骗不了人。可是他爱面子，只能硬着头皮这样做，想碰碰运气。

时间一分钟又一分钟地过去了，连鱼的影子也不见。

猫的尾巴在水里浸久了，凉得不

好受。"我不该说大话！"他有点儿后悔了。但是他想用拖延的方法把这件事情搪塞过去。

突然，猫唱起歌来：

"鱼儿啊，鱼儿啊，咱们是老朋友。

游啊，游啊，快上我的钩。

大的不肯来，小的也将就。

你们瞧吧，

锅里有油，

湖边有垂柳，

没有葱烧鲫鱼怎不叫我皱眉头？"

鸭子觉得非常有趣，笑着说："好一个快活的钓鱼人！"

"我说这个钓鱼人快愁死了！"鹅说，"他的歌声好像哭声。"

"这唱的算什么歌！"公鸡很生

气，"油腔滑调！"

事情真凑巧，猫正在为难的时候，一条乌鱼恰好游过来，看见水里面有一条毛茸茸的东西，以为是条大毛虫，就狠命地一口咬住了。

猫突然觉得尾巴给什么咬了一口，痛极了，乱甩起来。哟！一条黑色带斑、身体滚圆的乌鱼，在地上蹦着，蹦了又蹦。

猫忍住了尾巴的疼痛，咧开嘴强笑着："啊哈，你们看！怎么样——一条大乌鱼！"

鸭子连声称赞："能干！能干！"

鹅点点头又摇摇头，她一半相信，一半怀疑。

公鸡气得脸色苍白，连头上的冠

子也倒在一边了。

现在猫更加骄傲起来。一忽儿爬上槐树，一忽儿又跳下来；一忽儿在草地上奔跑，一忽儿躺下来打滚。他得意得忘记了天高地厚。

"我是猫！一伸爪子就逮住了十三个耗子！一甩尾巴就钓起了一条大乌鱼！"他乐得说了又说，巴不得把这句话让广播电台告诉全世界的人。

一只小麻雀，停在老柳树的柳条儿上。柳条儿轻轻地飘荡，他正好一边打秋千，一边看滑稽戏。

说起来小麻雀的鼻子虽短，眼睛却灵。他觉得他应该勇敢地飞下去，实事求是地揭穿猫的鬼把戏。他就像个小麻球似的飞落在地上。

"喂，亲爱的猫先生！我请教你，你的尾巴上挂着的是什么？可是一朵大红花？今天是什么日子，你打扮得像个姑娘似的？"

这就引起了鹅、鸭子和公鸡的注意，他们发现猫的尾巴尖上血渍斑斑的。

猫给这么一提醒，立刻又觉得尾巴上热辣辣的，痛得不好受。但是他想起"我是猫！我一伸爪子……"就只能硬装好汉。"那有什么，不过我咬死了一个该死的甲虫，一不留神咬伤了自己的尾巴。"

"你的牙齿和乌鱼的一样不肯留情！"麻雀说着，"吱吱"地笑。

公鸡也来取笑他："我们的猫兄弟挺勇敢，就是给狮子咬一口也不过像给蚊子叮过一样，只觉得有一点儿痒刺刺、麻辣辣罢了。"

猫恨得牙齿痒痒的，想报复大家的嘲笑，但是尾巴上的血渍抹不掉，硬气不起来。

他闭上一只眼睛，想把话题扯开，狡猾地说："反正乌鱼钓上来了逃不掉，等一会儿我请客。现在咱们上喜鹊姑娘那儿去看看她。"

"嘎嘎！谢谢你！乌鱼的滋味我吃腻了，你自己多吃点儿吧。"鸭子想起木盆里的衣服还没有洗，不能再多耽搁了。

鹅可不这么想。她以为让猫到聪

明有学问的喜鹊姑娘那儿去，可能得到一些教训，这，对于一只懒惰又骄傲的猫是有好处的。

她顺着猫的意思说："可以，可以，我们先看看喜鹊姑娘去。"

公鸡想到半个月以前，水莲花开满池塘的时候，那些日子在苹果园、葡萄园里捉虫子，早和喜鹊认识，并且做了好朋友了。这一向工作忙，多时没见面，现在和大家一同去看看她也好。"那么，走吧。"

小麻雀不吱声，只忙着摇晃他的小脑瓜，向上、向下，向左、向右，一刻不停，大概心里头很不高兴吧。他觉得鹅、鸭子和公鸡竟这么不中用，给猫轻易地骗过去了。

他们离开湖边向树林走去，没多久，已经靠近了那棵高大的银杏树。

猫每次从银杏树旁边走过，老是这么想："什么时候爬到树顶上去——当然最好是飞上去，看看喜鹊姑娘。她的家真高，真有趣，从她的家望出去，一定可以望得到海。听说她家里收拾得又干净又整齐，我能够在那上面睡一会儿就好了。啊，如果她家里还藏着两个小宝宝……"猫老是不转好念头。

喜鹊把一厚本《建筑学》看完了，打了一个哈欠，揉一揉眼睛，站起来望望，看见一队奇怪的人马开进树林：猫带头走在前面，大模大样的，尾巴翘得那么高，像插着羽毛的威风凛凛的大将军。她猜不出他们要来干什么。

忽然间小麻雀飞来了，这个饶舌的小家伙，一五一十地把这件事全告诉了喜鹊。

喜鹊笑起来："看来这个坏蛋想到这儿来捣乱了。"

小麻雀说："可不是，他的眼睛长在头顶上，瞧不起人！"

可是喜鹊诚恳地说："让我们大伙儿帮帮他。眼睛还是长在鼻子两边的好。"

猫走到银杏树旁，看看笔挺的干，粗大的枝，浓密的叶，心里想这是个多么好的地方。他不觉又想起来，要是他是喜鹊的话，他就要在这大树干上，钉上一块大木牌，写着：

猫公馆·大建筑师猫大王在此！

他还以为喜鹊真的不懂事，成天读书，是个书呆子。其实，她既爱读书又爱劳动，学习、工作都好。

"喜鹊姑娘！喜鹊姑娘！"猫在银杏树底下憋着喉咙，装出亲昵的声音叫起来。"你别那么用功，累坏了身体可不划算，请下来和我们一块儿散散步吧。"

喜鹊探出头来，看见猫仰着狡猾的脸孔：一个颤动的鼻子，两撇翘起的胡子，眼睛眯成了两条细缝，尾巴一甩一甩的，正在打什么坏主意呢。

"谢谢你的关心，猫兄弟！"喜鹊向小麻雀瞅了一眼，她知道他喜欢磨嘴皮，要他别插嘴，喜鹊接着说，"我一点儿也不觉得累，读书是件快活的事情。"

猫心里想：今天可不一般——这个姑娘平时碰到我，老是板着脸，我不是受她教训，就是挨她责骂，现在她却有说有笑的。他一高兴，又说下去。"看的什么书？我想一定是很好听的故事吧，讲给咱们听听？"

猫说话的声音里，掩不住心里头的快乐。他觉得今天早晨玩得很开心，过得真不坏。

鹅、鸭子和公鸡听说要讲故事，就决定再待下去，鸭子是特别爱听故事的。

猫又甩甩尾巴，装出恳求的样子。"多谢你，喜鹊姑娘，快讲吧！"

"我就讲，我就讲。"喜鹊用好听的声音讲起故事来。

"从前有一个村庄，村庄里有一只猫。"

猫的心"怦"地一跳，身子一动。"一只猫？"他眼睛眨了两眨，不作声。

"这是一只聪明的猫，不过有点儿懒惰，最大的缺点是骄傲。但是他本领的确很好，是一个体育家，赛跑、跳高都得了奖。"

猫很喜欢听这个故事，忍不住问："多棒！他还是一个歌唱家吗？”

“是的，他是一个杰出的歌唱家。”喜鹊回答他说，“你别打扰我，听我讲下去。”

“他唱歌也非常有名，特别是那支‘呼噜——呼噜——’催眠曲。有一回，他在石头山脚下的一个音乐大会上，唱着这个歌，歌只唱了一半，全场一千个观众九百九十九个睡觉了。只有一个没有睡，是小毛驴，他一边听猫唱歌，一边做算术题：三加四是不是等于七？想得脖子上的青筋也暴起来，这样好听的歌竟没听进去，所以就没有睡觉。但是，喝醉了酒的猩猩，竟评判他获得了一等奖。”

“嘎嘎！嘎嘎！”老实的鸭子笑

出来了，仿佛她自己得了奖一样。

"他大概得的是个金质奖章吧？"

喜鹊没回答她，就要讲下去。可是猫实在太高兴了，忍不住又插问了一句。"他还是一个旅行家吗？"

喜鹊用了夸张的口气，讲下去。

"一点儿不错！他还是一个伟大的旅行家：到过大草原，穿过大森林，走过大沙漠，上过八千八百米的高山，还下过四千米的深海。他同时是一个杰出的潜水家，当然，也是一个头等的游泳家。"

"伟大！伟大！他还是一个伟大的渔业家呢！"猫得意地补充了一句。

这个家伙被骄傲冲昏头脑了，喜

鹊想。

"当然他还是一个伟大的渔业家，他能够出色地用尾巴钓起一条大乌鱼来。"

猫高兴得身体轻飘飘的，忽然想起，"喂，他还是一个航空家吗？"

喜鹊给他这么突然一问，几乎回答不出。

"我想是的，他是一个非常非常勇敢的航空家。"

"我想一定是的！"猫高兴地嚷起来，抬起脚掌来抹抹自己的鼻子，"这个故事里头的猫，就是我啊！"

麻雀不服气："我说不是你。你不会飞！"

"我当然会飞！"猫想也不想，

立刻大声地回答出来。

鸭子歪着脖子，又像近视眼似的仔细看看猫，暗地思忖着：他有翅膀？

鹅昂起了头，伸长了脖子，默默地想：猫啊，你不该这样夸口！太骄傲了不是？

"呃，应该谦虚点儿！"公鸡抖一抖他的花衣服，提起了一只脚，放下去，又换了一只脚。

"那么，你当场就飞给咱们看看！"小麻雀很不服气。

公鸡也忍不住了："猫兄弟，咱们失敬了！从来不知道你还会飞！"

猫不作声，他有点儿后悔了。

但是当他看见大家的眼光都射在他身上，就想：我是猫！一伸爪子就逮住十三个耗子！一甩尾巴就钓起一条大乌鱼！难道我就在这些小子们面前丢脸不成！

他越想越恼，露出了牙齿，粗暴地说："好吧，我飞给你们看！"

于是猫昂着头，弓着身子，屈着两条后腿，翘起尾巴，注视着银杏树顶，眼睛里几乎冒出火来，用力往上一蹿，抓住了一根树枝。

"瞧吧，我不是飞了起来吗？"猫喘着气说。

喜鹊很和气地说："这可不是飞。"

猫恼羞成怒，反问了一句："这难道是爬吗？"

"不。这是跳。"喜鹊仍旧平心静气地解释着。

大家都笑起来。"喳喳！……叽叽！……呵呵！……喔喔！……嘎嘎！……"

树林里也响起一片笑声，并且从远山那边激荡起一阵回声来。

他们都是行家，对于飞，谁都知道是怎么一回事。

这一笑，笑得猫的脸通红，一直红到脖子根上。谁也没有看见猫红过脸，这还是第一次。虽然在历史上也只有这么一次，可是他懂得"惭愧"，总是好的。

猫松开了爪子，悄悄地一纵，跳落地上。

现在，轮到小麻雀来表演了。他把尾巴向上一翘，缩起两只脚，张开翅膀，拍了两拍，身体就在空中腾起来，随后脖子向前一伸，飞了出去。只见他用尾巴摆一摆，就转了个弯儿飞回来。接着松开尾巴，慢慢地敛下翅膀，轻轻地降落在树枝原来的地方，面不改色。

大家心里头想：多么优美的姿态！

小麻雀也得意起来，细声细气地说："猫先生，你瞧吧，这个样子才叫作飞！"

猫没等小麻雀说完话，就耷拉着头，拖着尾巴，像害了一场大病似的，慢腾腾地踱到湖边去。

鹅向鸭子和公鸡说："咱们走吧！我得回家淘米、洗菜去了。"

"正是，我得赶快回去看看妹妹

的热度退了没有。还要到井边去，水缸里没水了——"公鸡对于时间的感觉是最最灵敏的，"太阳快升到头顶上了！"

是啊，到了正午时分，他还得站在村庄的广播台上报告时间哩！

鸭子一声不响地跟着他们在后面走。

她替猫兄弟难过，仿佛看见他独个儿走的时候流着眼泪。她希望他能够改过。鸭子的好心肠，有时候却鼓励了猫的恶作剧。

喜鹊望着猫灰溜溜的背影，"嗨嗨，要飞嘛，该好好学习！"

猫跑回到湖边，乌鱼不见了，这像火上浇油，增加了他的愤怒。"又

是那个钩嘴巴、大翅膀的老家伙，把我辛苦钓来的鱼偷了去。哎哟，这些会飞的都不是好东西！"

就在这时候，他又想起了飞，怒气冲冲地说："我是猫！我一伸爪子就逮住了十三个耗子！我要飞，就能飞！只有那头笨驴子，不论做什么事，总得先刻苦学习一番。我就不这样！"

他在槐树底下，暴躁地一次又一次地用力往上飞。不成！都掉下来了。

忽然他有了个"聪明"的主意。"既然从下面飞上去不成，为什么不从上面飞下来呢？我真像笨驴子一样笨！哈哈！"

他急躁地爬上树去。攀上一根树

枝，再攀上一根树枝，一直爬到了槐树顶上。

"我是猫！我要飞！"猫在树顶上站得老高老高的。

他学着飞的样子，张开两条前腿，伸直两条后腿，从树顶上"飞"下来了。

在半空中，他翻了个跟头，喊着："啊，坏了！坏了！"快掉到地面时，他倒栽着摔下来。

他摔得不轻，四脚朝天，好久好久爬不起来。

阿丽思
小姐

　　"阿丽思"是个语文成绩不太好的小学生，她跟随袋鼠奶奶，经历了一次你们意想不到的奇遇。故事里有一系列稀奇古怪的人和事，读的时候，你可以把书中出现的人物依次记录下来，然后对照这些人物，跟同学说说：阿丽思去了哪些地方，遇见了谁，做了些什么。

　　这本书里，阿丽思的故事还没有讲完，如果你想知道接下来她还会有哪些奇遇，就找来原文读一读吧！

这一回，阿丽思再也不要她的姐姐一同出来了。

　　为什么呢？因为她知道的，如果她的姐姐在她身边，一定又要唠唠叨叨地说："不要到湖边去走啊！""马路上跑不得的！""当心不要摔跤啦！""那山不能去爬的……"她着实有点儿厌烦。自然，玩起来也不免要受一点儿拘束，但是这也不能，那也不能，不能称心如意，就白白地把那六天来眼巴巴望到的星期日糟蹋了。

所以，现在阿丽思独自一人悄悄地走出来，走过长长的石桥，沿着碧清碧清的小溪，再穿过黑松林，她最喜欢的小山坡就横在眼前了。

她想：要不是姐姐在我身边，这样的好山坡早就爬上过四五次了。现在得抓紧点儿爬，那上面一定有什么奇异的好东西，所以姐姐不让我去啊。哈哈，现在快爬，快爬……

阿丽思快快活活地爬上了山，睁大两只乌黑的眼睛一看，非常失望。这个小山顶，好像一个剃光了头发的和尚的光头，没有花，没有草，没有绿树，没有怪石，甚至连半粒沙子也没有。

"骗人的！为什么那语文教科书

上总是这样写着：'山上有绿毯似的草地，有好看的野花，有遮阴的老树，有奇形怪状的岩石……'，而且老师还要叫我们一句一句大声地念，那写书的人，不是在欺骗人吗？哪里有！"

阿丽思有点儿生气了，掏出手帕来擦了擦汗，理了理被风吹乱的头发，若不是她跑得两腿有点儿酸痛，有点儿吃力，一定要噘着嘴，头也不回地跑下山去了，她不喜欢这样光秃秃的山头。

她躺了下来。看见高高的青天，笼罩在她上面，觉得很惬意，这一来，她的一腔怒气就消了。而且恰巧又吹过一阵风，使她心里格外凉快、舒畅。不过，这风，却无端地吹起了她一个念头：

啊，风先生，你为什么不带一点儿好消息给我？

"您要什么样的消息呢？"

一个细小的声音在响着。

这就吓得阿丽思坐了起来，睁大了眼睛，向四周望望，但是什么都没有，于是她只好不高兴地躺了下去，嘴里嘟嘟囔囔地说：

"捣鬼的，偏要叫我不快活！"

"您要什么样的快活呢？"

一个细小的声音又在响着。

阿丽思听见了又坐起来，但是仍旧看不到什么，她生气了，两只小脚向前一蹬，仍旧躺了下去。但是这一

次她心里虽然不高兴，嘴里却没说什么怨言。

"喂，您要什么样的消息？又是怎么样的快活呢？"

一个细小的声音重复地在响着。

阿丽思真的生气了，闭紧了嘴，仰天躺着不说话。

"喂，我们的小姐！您究竟要怎样的快活呢？"

这一声，说得好，当阿丽思生气的时候，只要有人喊她一声"小姐"，她就高兴地笑了。所以现在她就坐了起来。但是她立刻又躺下去了，攥紧小拳头敲敲地面说：

"这鬼声音，仍旧什么都看不见！"

"不，有的，阿丽思小姐请勿生气！"

一个细小的声音真的在响着。

一声"小姐"，叫得阿丽思又心平气和了。但是她打定主意，决不再理睬这鬼声音了。

"阿丽思小姐请勿生气！有的。"

这个细小的声音又一次响着。

哦，这真叫阿丽思够受了，她不耐烦地厉声骂道："讨厌！"

"哈哈！哈哈！哈哈！哈哈……"

阿丽思这一下真听够了，急忙用右手按住了乱跳的心，左手撑起了身体斜坐起来，一眼望见四只灰黑色的小东西，探头探脑地望着阿丽思。

阿丽思不认得他们。

"我们的小姐，再会吧！"

他们异口同声地说了这一句，便一口气窜到山下去了。

阿丽思心里懊悔了，"看不出他们倒很有礼貌，刚才不该骂他们'讨厌'，现在骂走了他们，怎么办？我好寂寞啊！"

"喂，我的孩子们，快回来，不要胡闹了，阿丽思小姐要睡觉呢。"

阿丽思又听到这个稍大点儿的声音，不由得低下头去望望，看见山坡上有一只灰色的大东西，手很短，脚

很长。那四只小东西冲到她身旁，陡地一下子跳进她那肚皮下的口袋里。这个，阿丽思从来没有看见过，心里好稀罕啊。

"小姐，打扰您了，真对不起！"

那只大东西鞠了一躬，带着四只小东西要走了。

现在阿丽思很高兴了，因为她已经听了许多声"小姐""小姐"，以及许多道歉的话了，这就够了，阿丽思的右手招了招，吐出她那清脆美丽的声音。

"没有什么，没有什么，请上来聊聊天吧。"

那大东西倒也不客气，三步并作

两步地一蹦一跳就到了山顶。

"哈罗（'喂'的意思），小姐，您认得我吗？"

这一问，倒是给她出了一个难题，阿丽思想：她比长着络腮胡须的张老师还厉害呢，他上次出的月考题目并没有这么难！

"我，我，我不认得你。"

阿丽思的小脸蛋儿红了。

"不认得？"

那大东西笑了，四个住在她肚皮下的口袋里的小东西也笑了。

"哈哈！哈哈！哈哈！哈哈！哈哈……"

阿丽思给他们一笑，脸更红了，便竭力地想，记得第几册的教科书上讲起过她的，也画出了她的图像来，就是当时学习不认真，现在一时想不起来。真倒霉！她用小拳头敲敲自己的脑袋，想敲出她的名字来。

　　"唉！我不用功啊！"

　　阿丽思大声叫出来。这一叫，吓得她的那位陌生的朋友站不稳，一直滚到了山脚下。

　　但是阿丽思急急忙忙地说："来，来，不要怕。我想出你的名字来了。你上来，我告诉你。"

　　那大东西又跳了上来，望着阿丽思通红的脸，等待着她说。

　　"你的名字叫啊……叫啊……叫

'子孙太太'，是不是？"

"哈哈，错了，不对，我的名字不叫子孙太太。"

"好了，你不要说谎，我祖母看见人家带了四五个小孩子的，总要叫她一声'子孙太太'！她年纪这般大了，难道也会有说错的话吗？"

"哈哈，哈哈……"

她还是大声地笑，来回地摇头，像个拨浪鼓。

"那么，我求求你吧，别净笑着摇头了，告诉我吧，你究竟叫什么名字呢？"

阿丽思实在给她笑得不好意思，脸蛋儿绯红。

她停住了笑。"我吗？我叫'袋

鼠'。你看看我：这里不是有一个口袋吗？"

阿丽思睁圆了两只眼睛，大叫出来："哦，天哪，袋鼠，袋鼠，正是袋鼠！这是第六册第十八课语文教科书里有的。唉，我为了你这个稀奇古怪的名字，还被戴眼镜的杨老师批评了呢。"

"那么现在又该批评了，因为您又忘记了呢。"

"别开玩笑了！现在我就叫你一声'袋鼠奶奶'，你使我重新温习了这两个字——在家里，我奶奶也常给我温课的。"

"我的好阿丽思小姐！"袋鼠快活得只说了这一句，就瞧了瞧她袋里的四个小孩子。

"喂，现在你这位多子多孙的奶奶打算上哪儿去？"阿丽思忽然学着她奶奶的话这样问。

"哎哟！真的，同您一搭讪，什么都忘记了，我是特地去开会的呢——现在我们再会！"

"别忙，别忙，你得告诉我，开什么会？家长会？音乐会？演讲会？运动会？"

袋鼠从口袋里摸出一张请帖给阿丽思，高兴地说："您瞧瞧。"

阿丽思一看，是一张很精致的四周镶着绿色荷叶边儿的大红色的请帖，上面写着：

阿丽思很困难地把这二十个字念完了，非常吃力，但是还念了一个别字。"券"字读作了"拳"字。她说：

"每拳只限一人。"

好在袋鼠没有听出来，不然又是一个笑话儿。

"反面还印着音乐大会的节目呢，您再瞧瞧！"袋鼠似乎觉得被人家请去做客很光彩，得意地又说。

阿丽思顺手翻过来一看，只见蚂蚁般地印上了许多字，便不耐烦去看了。其实她怕自己读不出来，念了别字，露了马脚，反而不好，因此急忙把请帖还给袋鼠，又瞅了瞅他们母子五个一眼，想了想问：

"喂！你可以带我去走走看看吗？"

"那有什么不可以？"袋鼠说着，拉着阿丽思的手又蹦又跳。

阿丽思平时不曾练习过这样的快跑，在路上只是高声尖叫："慢点儿……慢点儿……"

说起来袋鼠也真的跑得太快了。阿丽思直跑得气喘汗流，一高一低地迈着两条腿。有时面前遇见大河，也只一大步跨过了；小山更不用说，一纵就过去了。她自己也非常吃惊，还好，没有多久，她就跑到了昆虫国的城门旁边。

门口很热闹。守门查票的是两个螳螂，四柄亮晃晃的大刀煞是吓人，大家逐一进去。

阿丽思此刻十二分高兴，跟在袋鼠后面一步一步挨近门口，袋鼠走进去了，她当然也跟了进去。

可是，不行，阿丽思突然被一个螳螂士兵一把抓住。

"喂！你没有入场券，又没有请帖，不准进去！"

"放屁！"阿丽思想说了，可是没有说，她还记得有一次说了这两个字，因为语言不美，给校长先生罚站墙角两个钟头。现在她只好说：

“岂有此理！岂有此理！”

“什么岂有此理？没有入场券的不准进去，你们学校里开起运动会来也是这样的。”另外一个螳螂士兵说，他瞪着两只眼睛，很凶。

“岂有此理！岂有此理……”阿丽思说不出别的话来，只会说着岂有此理。这是她从一位男老师那里听来的。

“不准！”螳螂士兵高声喊，把他的双刀摆了一摆。

阿丽思给这么大声喊，呆住了。但是她忽然想出一个天大的理由来，于是大声说道：“你……不要凶，刚才袋鼠奶奶明明只有一张请帖，为什么她带了四个儿子进去，你们也没哼一声！"

这一句话，倒着实有点儿厉害，她凭事实说话，说得两个守门的士兵你对我看，我对你看，谁都说不出话来。

"不！你不要误会，小孩子本来是免票的。你们到公园里去的时候，小孩子只要有大人带着，是不要买票的。此地的规矩也是如此！"

阿丽思听了，快活得笑出来。

"哈哈！正要你们这样说，我也是一个小孩子——你们看！我不是一个小女孩吗？那么应该让我进去，为什么不许我进去呢，真是岂有此理了！"

两个螳螂士兵木呆呆地对她看了

一会儿，半晌才说话：

"算了吧，放你进去。"

阿丽思快活得赶紧一大步迈进门去，但见城内大街小巷，布置得美极啦，很像她自己学校的礼堂或教室的布置一样花花绿绿。彩旗啦，彩带啦，红绿纸球啦，在微风中转个不停的宫灯啦，形形色色，叫人看得眼花缭乱……

忽然有一个声音在阿丽思头上响起来。

"呜盎，呜盎……"接连就来了许多声音，像数百个小学生唱着旅行歌，"呜盎，呜盎……"

这就吓了阿丽思一大跳，"莫不是打雷了吗？"抬头一看，的确有一朵又一朵的小乌云，在天空盘旋。但是她仔细看看，样子不像；仔细听听，声音也不像，打雷是轰隆轰隆的，这是呜盏呜盏的，那么，这是什么东西呢？

她想了又想，好容易才想起来了，"机飞！"

阿丽思高兴得叫了一声，"哎

101

哟！"身子蹦了一下，有三尺半高。但是当她从空中回落到地面上来时，脚下软乎乎的，好像踩住了什么东西。而且脚底下又像开了气枪，嘭的一响。

"哎哟！"阿丽思又是一声高叫，打横里一跳，拿出手帕来擦擦眼睛，看清楚点儿，不好了，是电灯公司的总经理萤博士，她跳起来时把他撞倒了，还重重地踩了他一下，而且还踩碎了他的一支光照三百米远的手电筒。

萤博士慢慢地站起身来，整了整衣服，戴正了博士帽，一手揑住手杖，一手抓住阿丽思的衣服，嘴里直喊道："赔偿，赔偿，快点儿赔偿！"

阿丽思吓坏了，她只能够尖声说："岂有此理！岂有此理！真是岂有此理！"

萤博士一听就发怒了。

"什么？你才岂有此理，踩碎了人家的手电筒不赔偿吗？赔偿，赔偿，快点儿赔偿！"

阿丽思想：再说"岂有此理"也没有用了，他在抄我的文章，也说"岂有此理"了，我必须想出更好的理由来和他辩论——只要有理由，怕什么？

她胆子就壮起来了。"不赔！赔什么？这是我无心踩碎的！请你原谅吧！"

萤博士听了，格外愤怒，"不，你是故意踩碎的！"

　　"岂有此理！"阿丽思又说了一句老调儿，实在说不出别的话来。幸亏念头一转，她又想着了一句。"那么，难道我脚底下长眼睛的吗？"

　　萤博士虽然学问广博，却给这句话问得哑口无言。他只好松开手，搔着自己光秃秃的头顶，看有什么可以回答的话，忽然他想起来了。"喂！你这小姑娘，把你袋里所有的钱，不管多少，都拿出来赔给我！"

　　"哈，你念头转错了，我袋里空空如也，没有半分钱。我妈常常说，小孩子不能要钱，有钱就要滥用，像大人们一样糊涂。你要我赔钱给你，不是也要去干糊涂事吗？"

"别瞎讲，我不同你磨嘴皮，快拿钱来！"

"岂有此理！你看我这袋里，没有钱，拿什么来赔你？"

"什么？"萤博士看看她袋里，真的没有钱，倒也没有办法。但是他看见她袋里有条美丽的手帕，便不客气地说了，"那么，就拿你的手帕来赔我吧！"

这一说，阿丽思着急了，急得几乎哭出来："不能，不能，假使把手帕赔给了你，我哭起来用什么东西擦眼泪呢？"

"哎哟，有趣，有趣，你真好玩，怎么会说出这样的话来呢？"萤博士

想想实在好笑，"你这位小姑娘，一会儿凶，一会儿……"

"不，不，请你不要老是叫我姑娘，请叫我阿丽思小姐！"

"哦，阿丽思小姐，现在请你把手帕赔给我吧。"

"不能够！"

"为什么？"

"不能够！"

"为什么？"

"因为……因为……因为这手帕上有我妈妈亲手给我绣的诗句呢。"

"哦——"萤博士想了一想，又想出一个法儿来（究竟他是个博士），他说："如果你能够把手帕上的诗句背得一字不错，就不要你赔了。"

阿丽思很高兴。"好，我一定能够背得一字不错，你听着——

阿妹园里去栽花，
姐姐房中绣手帕。
两头绣出梅花朵，
中间绣出老母鸡……"

萤博士听到末了，大声说："错了，你怎么把'老母亲'背作'老母鸡'呢？赔，赔，现在你还有什么话可说？"

"有！"
"有？"

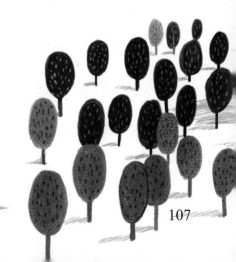

"自然有，"阿丽思说，"我再重背一遍给你听！"

可是，不争气得很，阿丽思仍旧背错了，第二遍把"老母亲"背作"老母牛"了，第三遍把"老母亲"背作"老母羊"，第四遍索性把"老母马"也背出来了。

萤博士摇摇头说："罢了，罢了，你这位小姑娘，不，不，你这位小姐，不是记忆力不好，定是学习不认真……"

阿丽思大怒："好哇，你既然说我记性不好，那么我刚才踩碎你手电筒的事也就忘记了，你就不能再要求我赔偿！"

她说着，便生气地走开了，萤博士只好望望她的背影。

　　阿丽思走着，走着，停住脚步，望着天空中的飞机。这时飞机越聚越多，都是蜻蜓飞行员驾驶着的，机上抛出千百个彩色气球，并且撒下了五颜六色的纸片来，像飘落了无数的鲜花。

　　"哦，好玩哪，'机飞'上撒下许多糖果来呢！"阿丽思快活得高声大叫。

　　"明明是'飞机'，却说是'机飞'，这位小姑娘，不，不，这位小姐记性真不行！"

　　萤博士叹了一声。